Mon gâteau d'anniversaire

Olivia George

Illustrations de Martha Avilés

Texte français de Dominique Chichera

Éditions **SCHOLASTIC**

Catalogage avant publication de Bibliothèque et Archives Canada

George, Olivia
Mon gâteau d'anniversaire / Olivia George; illustrations de Martha Avilés;
texte français de Dominique Chichera.

(Je veux lire)
Traduction de : My Birthday Cake.
Public cible : Pour les 3-6 ans.
ISBN 0-439-94201-2

I. Avilés Junco, Martha II. Chichera, Dominique III. Titre.
IV. Collection : Je veux lire (Toronto, Ont.)

PZ23.G435Mo 2006   j813'.6   C2006-902957-1

ISBN-13 978-0-439-94201-0

7 6 5 4 3   Imprimé au Canada 119   11 12 13 14 15

Note à l'intention des parents et des enseignants

Dès que l'enfant sait reconnaître les 54 mots utilisés
pour raconter cette histoire, il peut lire le livre en entier.
Ces 54 mots apparaissent tout au long de l'histoire pour que
les jeunes lecteurs puissent facilement les retrouver
et comprendre leur signification.

ai	de	gourmandises	préféré
aime	décoré	gros	que
anniversaire	délicieux	il	quelque
aujourd'hui	des	je	sais
avec	du	jour	sera
bien	envie	le	sucettes
biscuits	épais	maintenant	sucré
bleu	est	maman	tout
ce	et	mangé	trop
celui	être	manger	un
cerises	faire	mon	vais
chocolat	fait	pas	voilà
chose	friandises	pour	youpi
	gâteau	préfère	

Aujourd'hui, c'est mon anniversaire.

Youpi! Youpi!

C'est le jour
que je préfère.

J'ai envie de quelque chose
de délicieux.

Je sais ce que je vais faire!

Je vais faire un gros
gâteau d'anniversaire!

Mon gâteau sera délicieux.

Mon gâteau sera sucré.

Mon gâteau sera fait avec tout
ce que j'aime manger!

Mon gâteau sera fait
avec des biscuits et des friandises.

Mon gâteau sera fait
avec des sucettes et des cerises.

Mon gâteau sera fait
avec du chocolat et des gourmandises.

Mon gâteau sera délicieux.

Mon gâteau sera bleu!

Mon gâteau est trop bleu!

Mon gâteau n'est pas bien décoré!

Mon gâteau est trop épais.

Il est trop sucré pour être mangé!

Maintenant,
voilà ce que je sais :

Mon gâteau préféré,
c'est celui que maman fait!

JE VEUX LIRE

Allons-y, papa!

As-tu peur?

Attendez-moi!

Chez grand-maman

Chien et chat

Des monstres

Il faut ranger

Je change la couleur des fleurs

Je choisis un ami

Je sais lire

Je suis le roi

Je suis malade

Je suis une princesse

L'heure du bain

La fée des dents

Le cerf-volant

Le nouveau bébé

Le temps

Ma citrouille

Ma nouvelle école

Ma nouvelle ville

Mes camions

Minou copie tout

Mon gâteau d'anniversaire

Regarde bien

Rémi roulant

Si tu étais mon ami...

Soirée pyjama

Une journée à la ferme

Une mauvaise journée